Jag har aldrig tyckt om målarböcker. Som små robotar fyller barnen i konturerna av prinsar med muskler och sminkade prinsessor bland blommor. Fula nallar och löjliga grodor tecknade utan kärlek och tryckta på dåligt papper. Oftast färglägger våra barn hela reklamkampanjer åt Disney, eller varför inte Bamse, Bamse, Bamse?

Idén till denna målarbok dök upp en dag då jag kom på mig själv med att ändra i min dotters Askungenbok. Prinsen begåvades med en svans och Askungen fick ett par extra ögon i pannan. Där började samtalet. Fantasin skenade iväg och bilderna blev språngbrädan in i en värld som inte var så stereotyp, inte riktigt lika bestämd. En värld som skavde lite.

Visst, det finns grabbar som kör bil i min bok också. Det handlar inte om det, utan om att erbjuda möjligheter, att inte som upphovsman sluta cirkeln, utan låta barnet få göra det istället.

Jesper Waldersten
Jorden

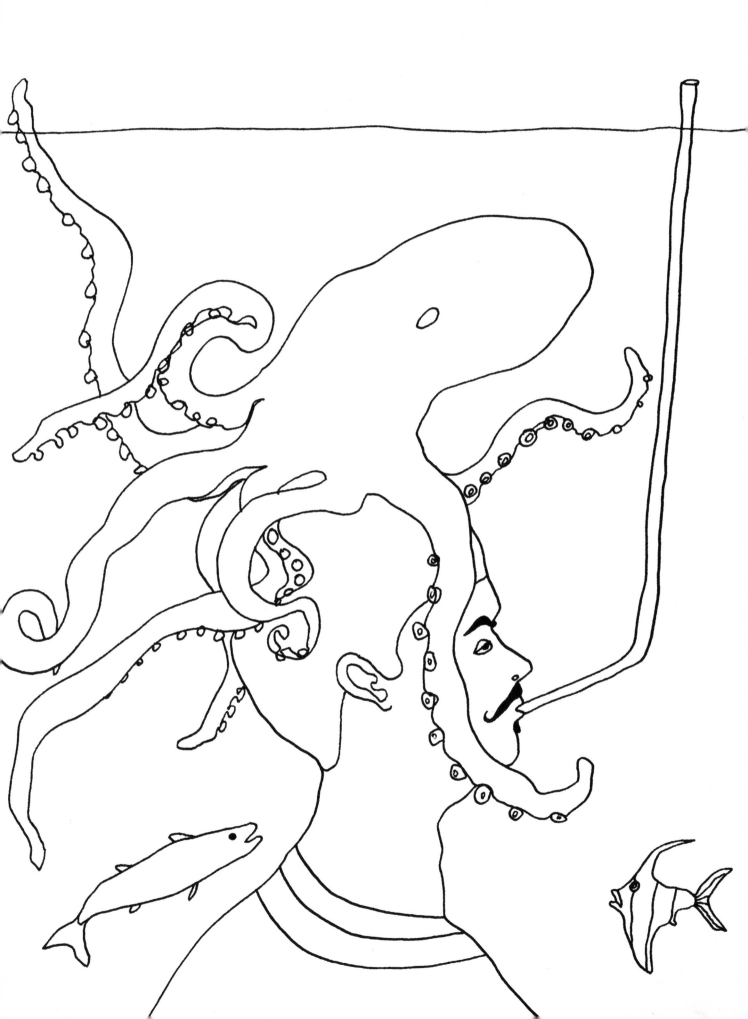

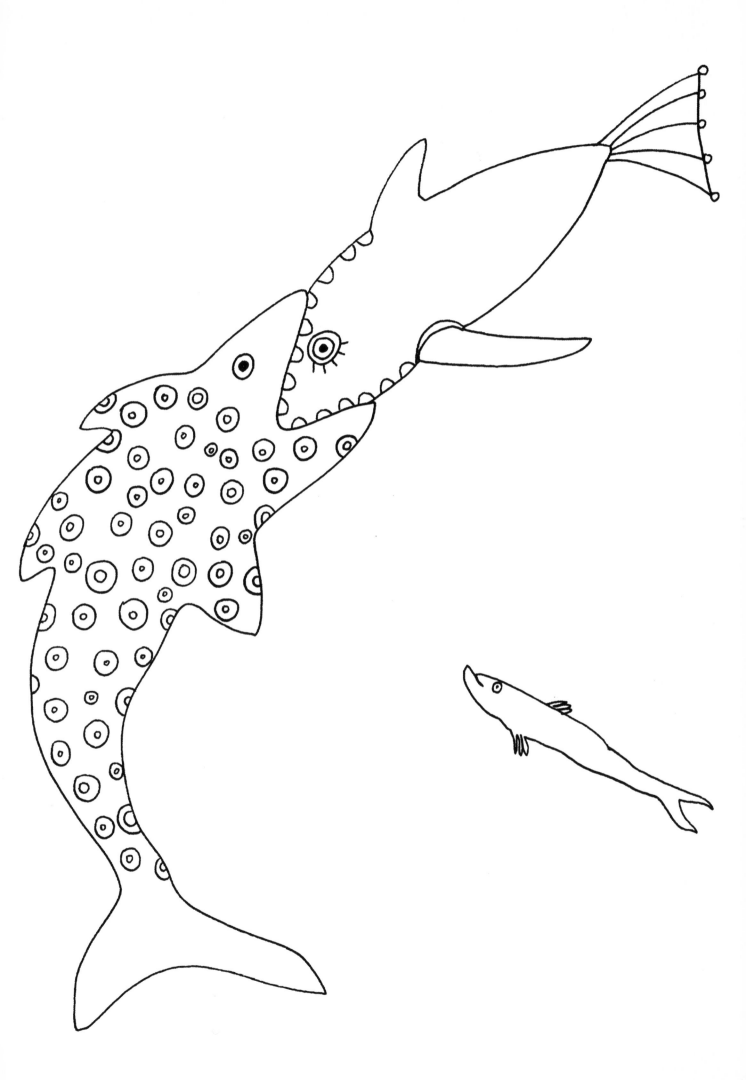

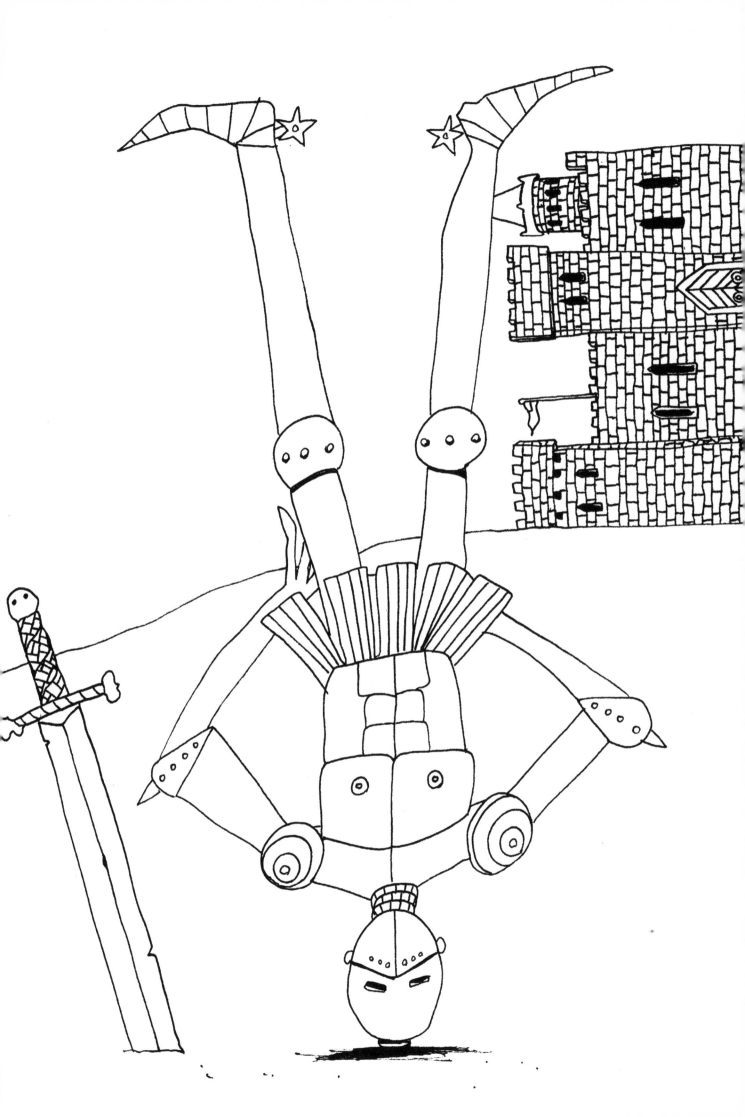

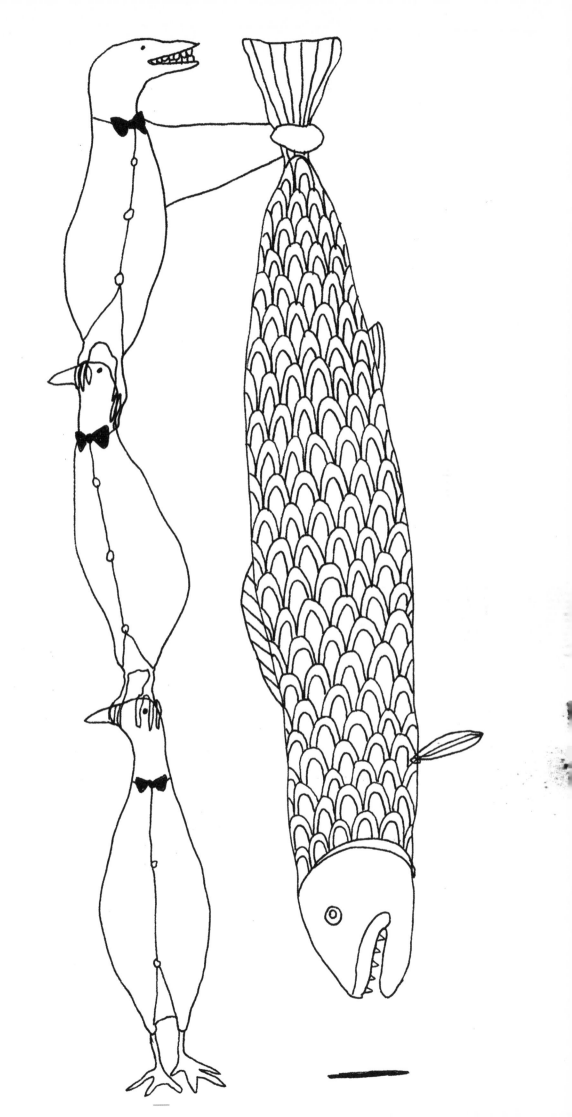

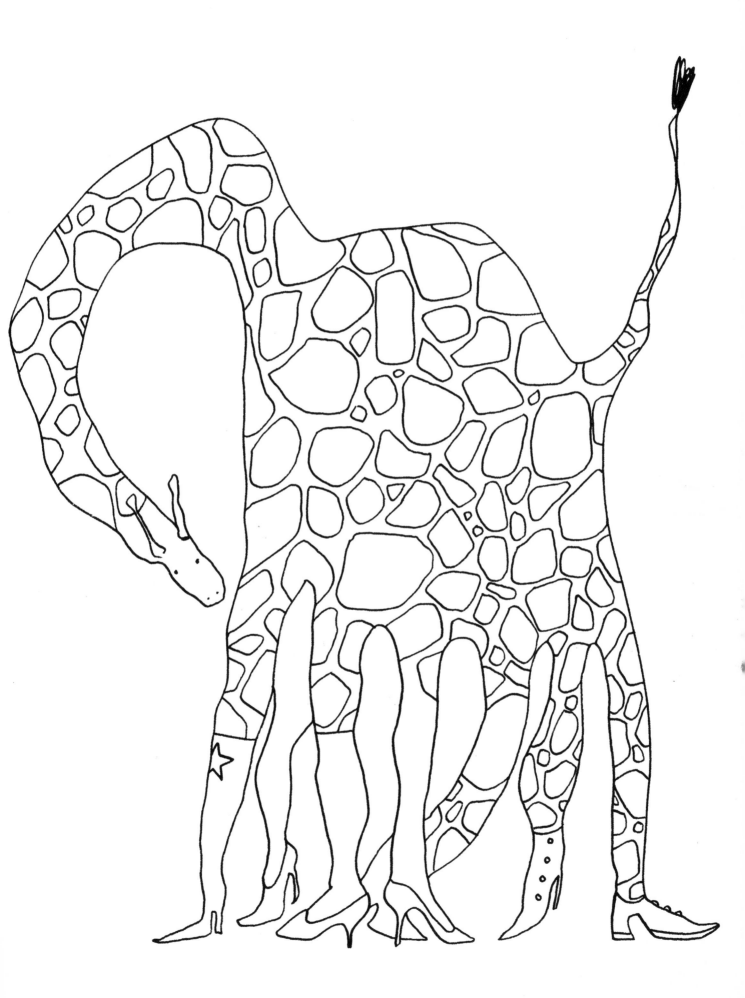

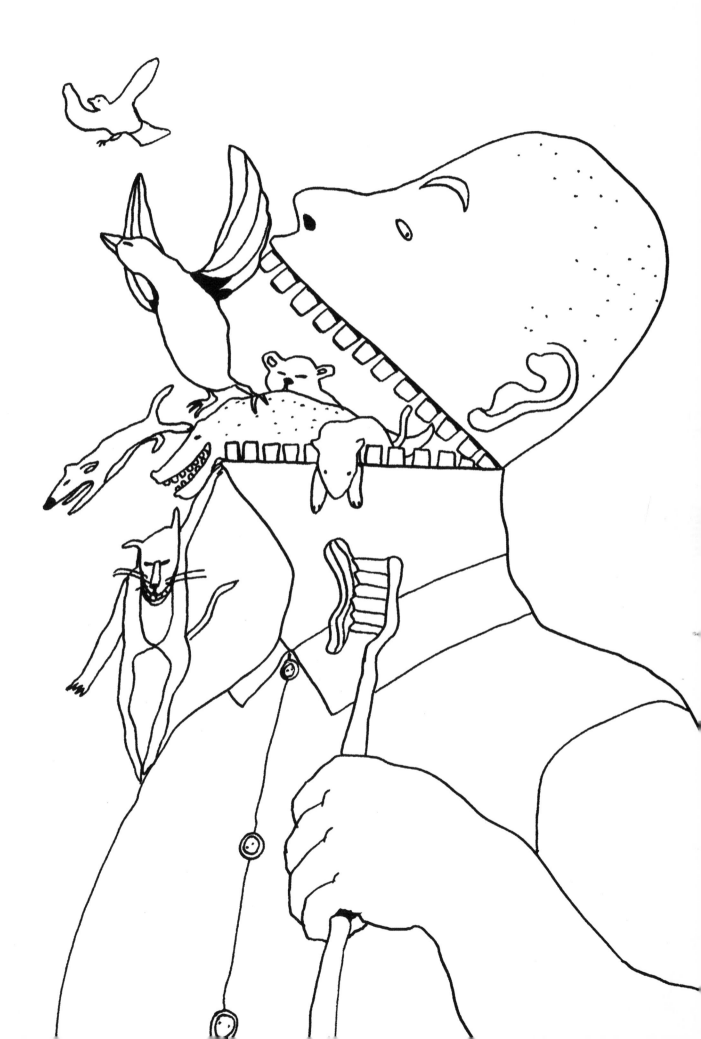

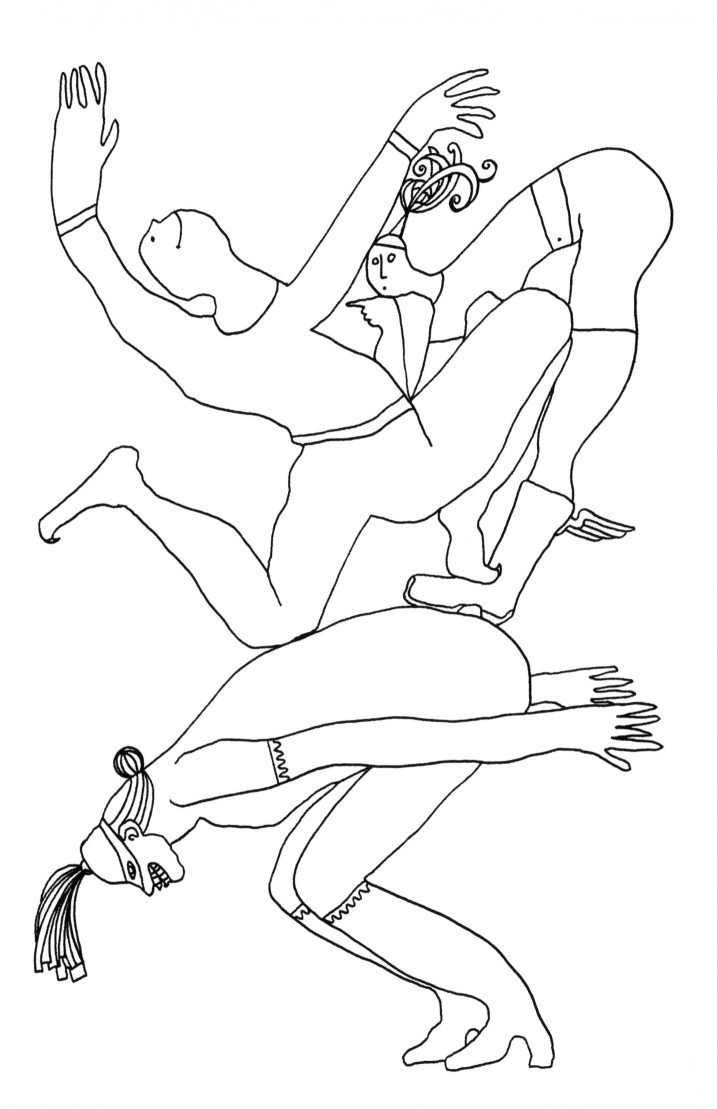

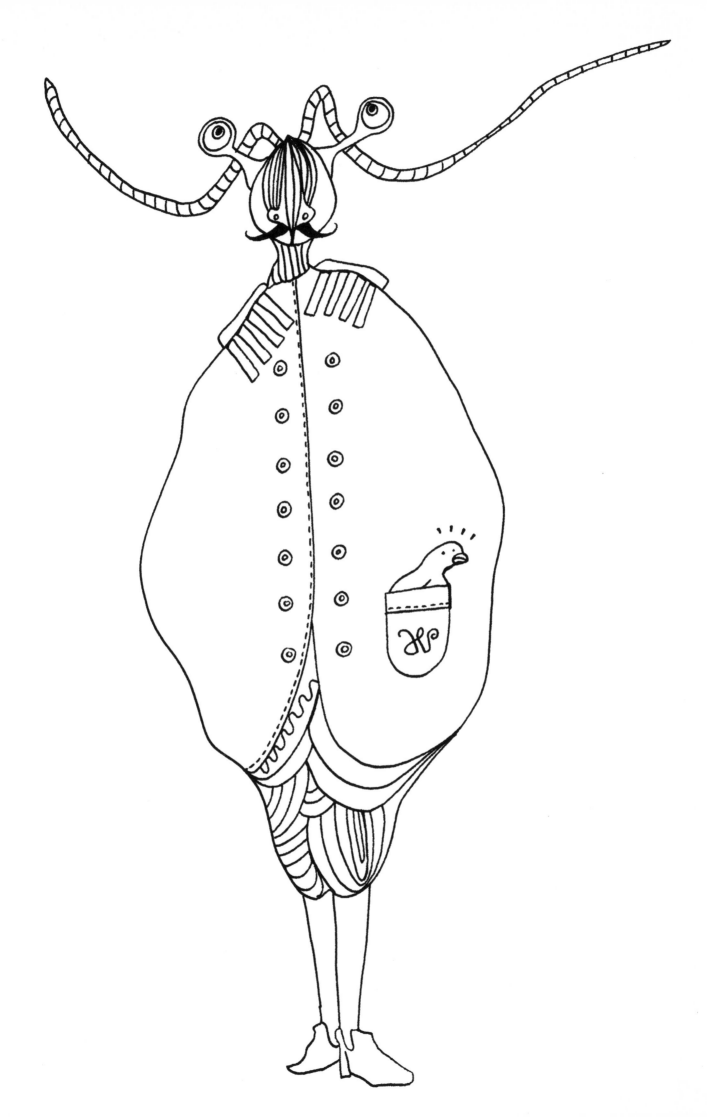

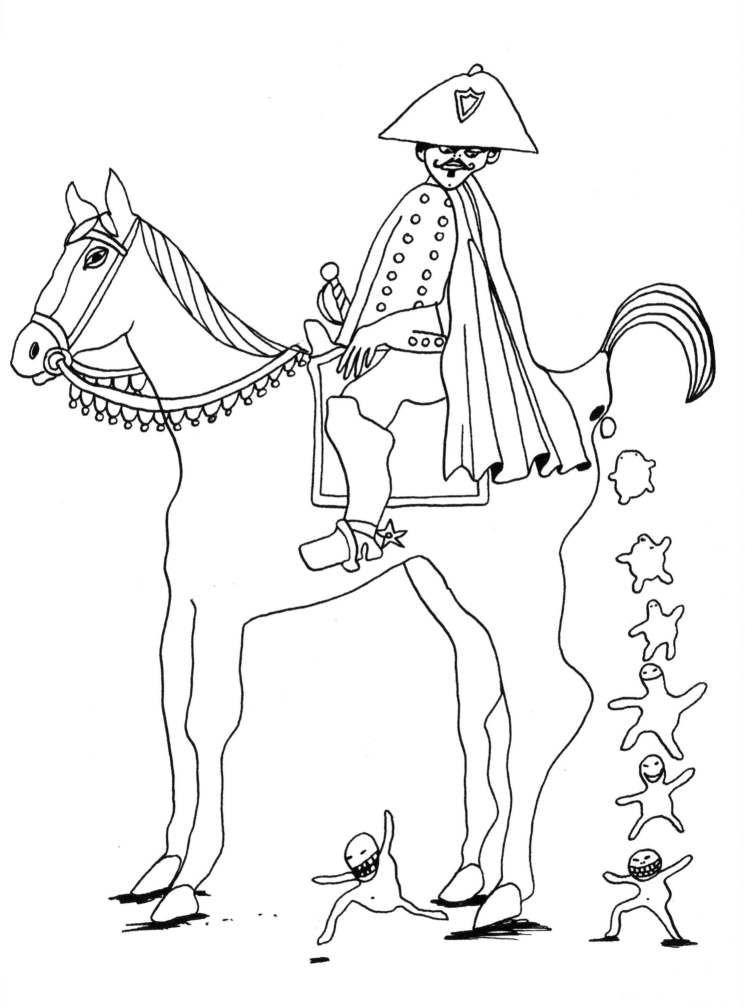

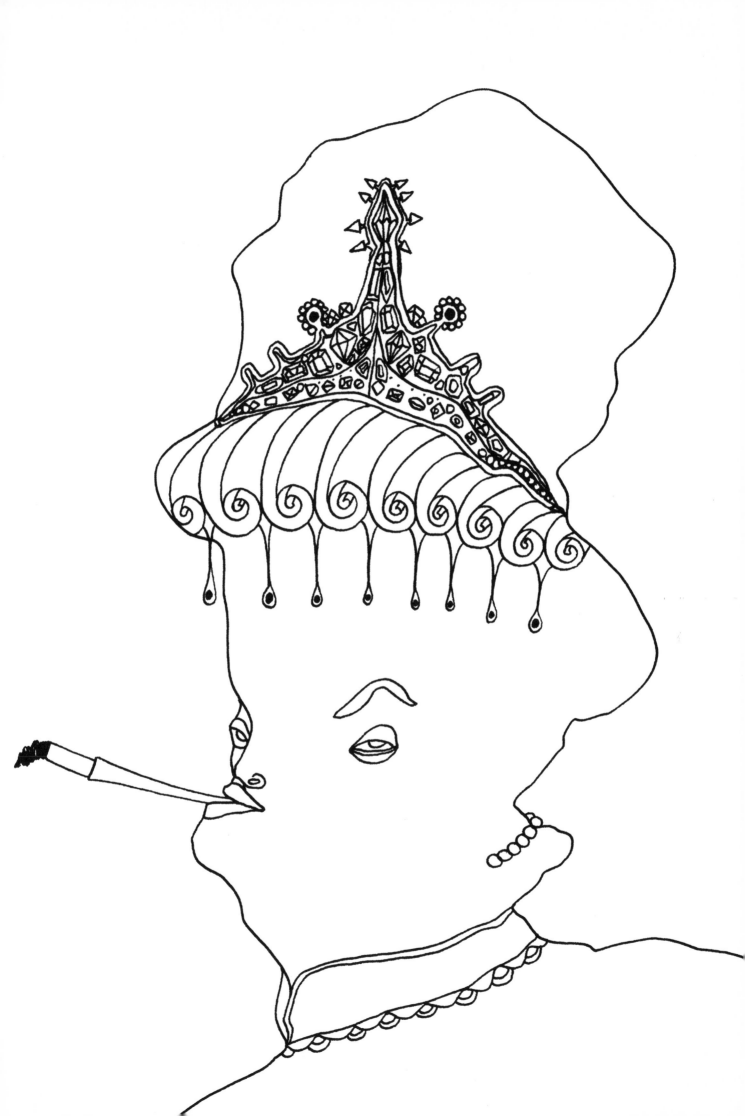

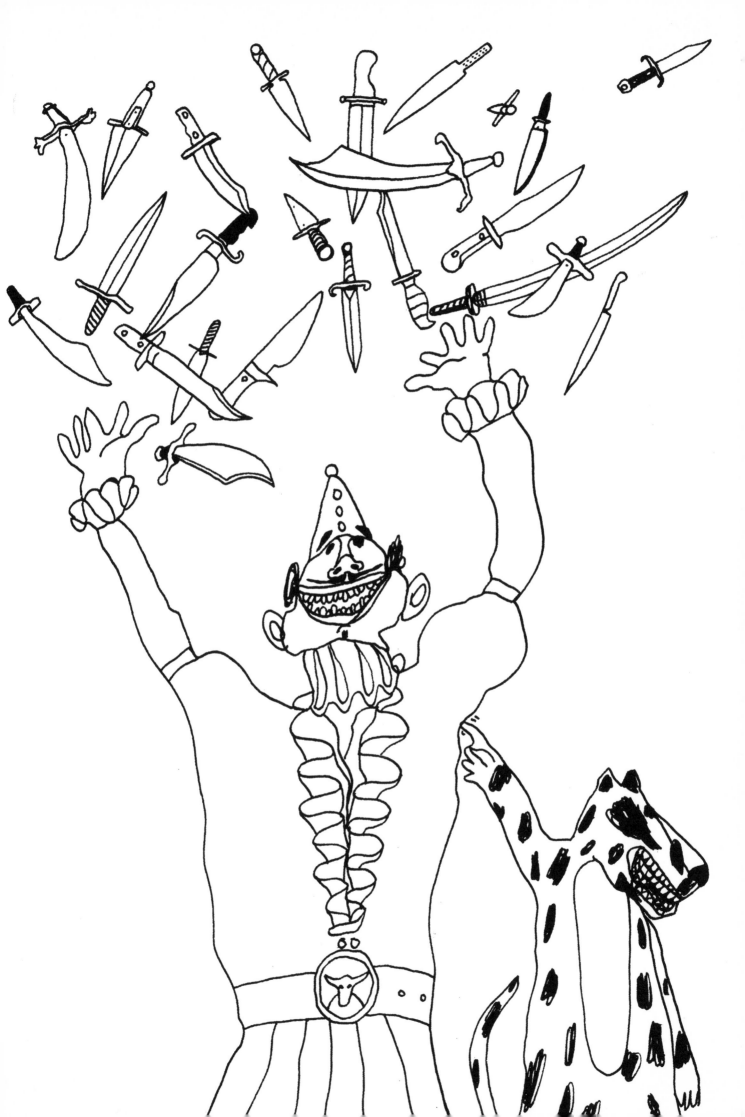

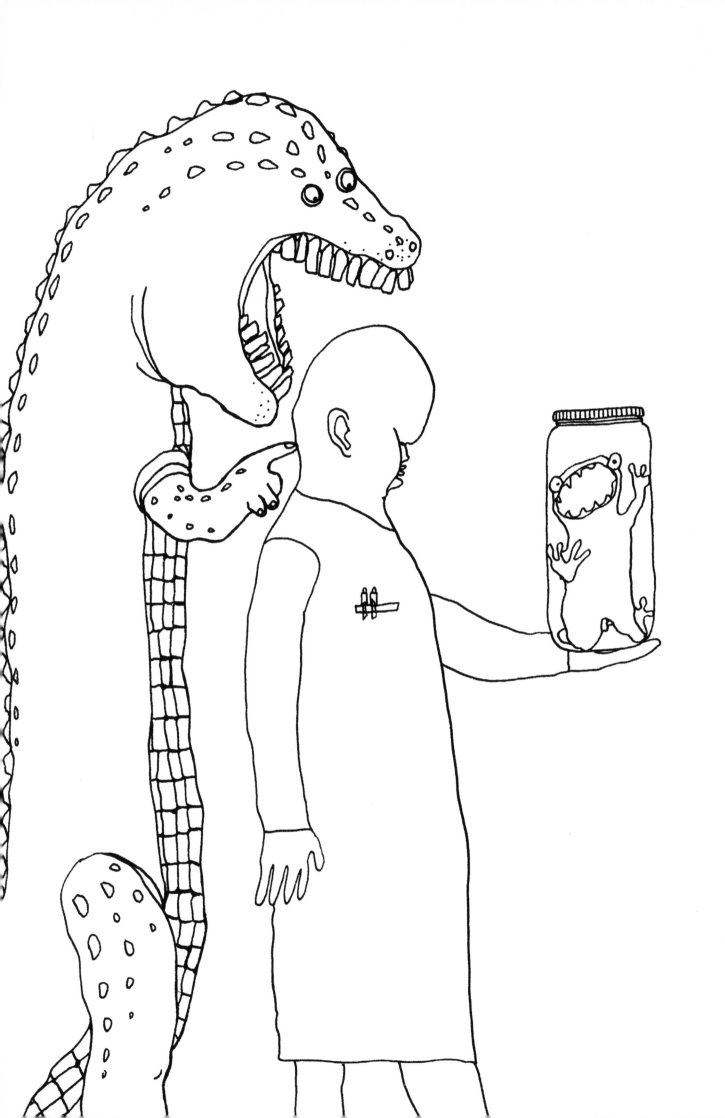

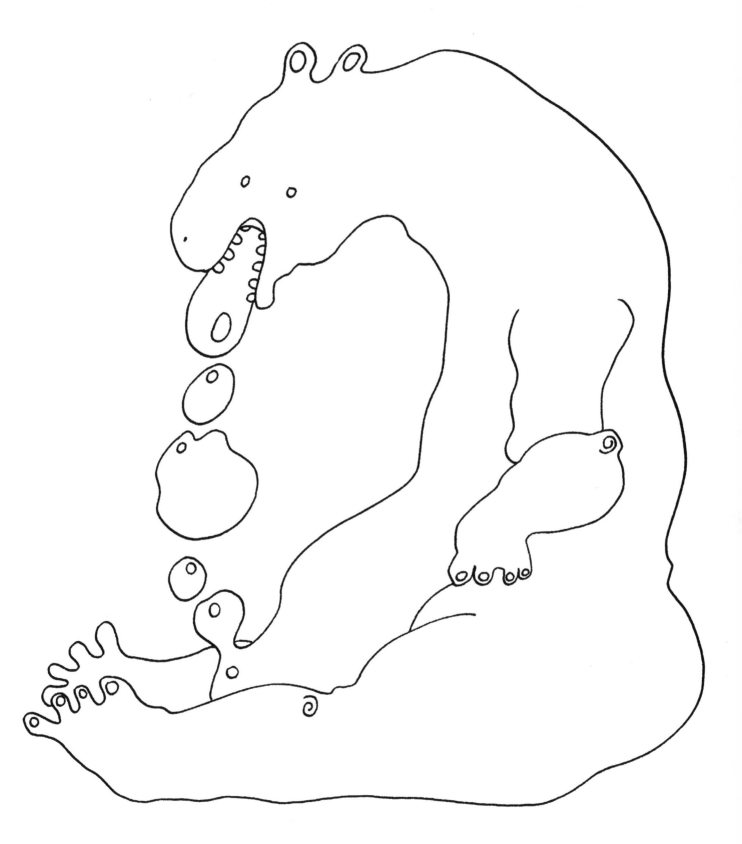